Gabrielle Ní Mheachair

Léaráidí: Olivia Golden

Cois Life
2007

Tá Cois Life buíoch de Bhord na Leabhar Gaeilge agus den Chomhairle Ealaíon as a gcúnamh.

ISBN 978-1-901176-74-2
Clúdach agus dearadh: Alan Keogh
Clódóirí: Betaprint
www.coislife.ie

Le grá d' Éile Rua,
mo stóirín

Seilchí: créatúr miotaseolaíochta mara, seal ina rón, seal ina dhuine daonna.

Fadó, fadó, in Éirinn, bhí cónaí ar Neid agus ar Bhríd ar oileán beag taobh le Gleann Garbh i gContae Chorcaí. B'oileán aon teaghlaigh é. Ní raibh duine ar bith eile ar an oileán, seachas muintir Shúilleabháin. Ní raibh acu mar chomhluadar ach na rónta. Bhí na céadta acu san fharraige thart faoin oileán, agus ina luí ar na tránna ag sú na gréine. Oileán na Rónta a thug daoine ar an oileán. Mhair Neid agus Bríd ansin go socair sásta ar feadh a saoil. Gach cúpla seachtain théidís ar an mórthír ag siopadóireacht agus chun bualadh lena gcairde. B'iascaire é Neid agus b'fheirmeoir í Bríd. Tar éis cúpla bliain saolaíodh cailín dóibh. Cailín álainn rua ba ea í. Bhí an-chion go deo acu uirthi.

‘Cén t-ainm a thabharfaimid uirthi?’ arsa Bríd.

‘Caithfear seanainm Ceilteach a thabhairt uirthi,’ arsa Neid. ‘Cad faoi Aoife?’

‘Is deas an t-ainm sin, ach ní mór díriú ar ainm atá oiriúnach don ghruaig rua atá uirthi,’ arsa Bríd. ‘Cad faoi Rua?’

‘Is maith liom Rua gan dabht agus sin an dath atá ar a cuid gruaige. Ní ainm cailín é mar sin féin. Ach is féidir Rua a thabhairt mar leasainm uirthi.’

‘Tá sé agam! Tá an t-ainm agam! Éile! Éile Rua! Nach ceolmhar an t-ainm é sin?'

'Braithim draíocht ann freisin,' arsa Neid. 'Ba í Éile deirfiúr na Banríona Méabh.'

'Cinnte! B'fhéidir go mbeadh Éile féin ina banríon lá?'

'Ní móide sin!' arsa Neid. 'Ach is cuma. Is banríon sa teach seo í. Chun an fhírinne a rá is í banríon an oileáin seo againne í freisin.'

'Nach fíor sin? Is í banríon Oileán na Rónta í. Éile Rua, Éile Rua, sin an t-ainm gan dabht,' a chan Bríd. 'Is maith liom é.'

D'fhás Éile Rua ina cailín álainn. Bhí súile chomh gorm leis an bhfarraige aici agus folt fada rua gruaige síos lena droim. Ba chailín cineálta í chomh maith. Bhí Neid agus Bríd an-bhródúil aisti. Bhí an-suim ag Éile san fharraige. Bhíodh sí i gcónaí ag impí ar Neid í a ligean amach ar an bhfarraige mhór in éineacht leis.

'A Dhaid, tá mé réidh chun dul sa bhád leat inniu,' a deireadh sí go caoin leis.

'Níl tú. Beidh tú i mbaol. Ní féidir leat teacht amach liom go dtí go mbeidh tú deich mbliana d'aois. Sin mar atá.'

'Ach tá mé mór anois,' ar sí go truamhéalach.

'Níl tú mór do dhóthain fós. Caithfidh tú a bheith in ann snámh go tréan freisin.'

Seo mar a lean an scéal idir an bheirt acu ar feadh cúpla bliain.

‘A Dhaid, a Dhaid, a Dhaid, inniu mo bhreithlá,’ arsa Éile lá amháin. ‘Tá mé deich mbliana d’aois agus tá snámh an róin agam.’

‘Tá, go deimhin, agus tá bronntanas againn duit freisin,’ ar sé. ‘Tar amach an doras liom.’

Shiúil Neid agus Éile síos go dtí an trá. Bhí Mam rompu sa bhád agus picnic bhreá ina lámh aici. ‘Beidh cóisir againn ar Charraig an Rí,’ a dúirt sí.

Rith Éile chuici. ‘Ó, a Mham, tá áthas an domhain orm. Tá mé ag dul amach ar an bhfarraige mhór. Is bronntanas iontach é seo. Go raibh míle maith agaibh,’ ar sí le Neid agus Bríd.

Léim siad isteach sa bhád agus seo leo trasna na dtonnta go dtí Carraig an Rí. Sheas an charraig aonair i lár na farraige mar a bheadh bord fathaigh ann. Nuair a shroich siad an charraig bhí na rónta go léir sínte in airde uirthi mar ba ghnáth leo. 'Scút, scút,' arsa Daid leo.

Shleamhnaigh na rónta isteach san uisce. Chonaic Éile rón beag ina measc. Bhí cóta liath air agus é ag lonrú mar a bheadh airgead faoi sholas na gréine. Shnámh sé díreach chucu.

'Ó, a Dhaid,' arsa Éile. 'Féach ar an rón beag sin. Nach bhfuil sé go hálainn?'

'Tá, gan dabht. Is lao é. Tá sé an-óg.'

‘Ó, tá sé go haoibhinn. Ba mhaith liom é a thabhairt abhaile liom mar pheata.’

‘Och, ní féidir a leithéid a dhéanamh, a stóirín. Is ainmhí fiáin é. B’fhearr leis cónaí ar muir.’

‘Ach déanfaidh mé leaba dó i dtobán mór uisce,’ arsa Éile.

‘Ba ghá tobán an-mhór ar fad mar sin,’ arsa Daid ag gáire.

‘Níl rón, ná peata ar bith eile, ag teacht isteach sa teach againne,’ arsa Bríd léi. ‘Tá mé gnóthach go leor leis an méid ainmhithe atá agam cheana gan rón fliuch, salach, a bheith ag déanamh praiseach mórthimpeall orainn.’

‘Á,’ arsa Éile. ‘Is trua sin! Níl cara ar bith agam. Ba mhaith liom peata.’

'Is féidir leat peata a dhéanamh de mar a bhfuil sé. Tabharfaidh Daid amach anseo tú aon uair is mian leat, nach ndéanfaidh tú, a Neid?'

'Cinnte, cinnte, a stór. Is maith liom na rónta.'

'Is rón deas é, nach ea? Cuirfidh mé an t-ainm Rónán air. Seo, a Rónáin, ar mhaith leat blúire ceapaire uaim?'

Shnámh an rón óg chuici agus d'ith sé an ceapaire as a lámh gan eagla ar bith air. Lean Éile ag tabhairt bia dó. Níor thug Neid ná Bríd aon aird orthu.

Gach lá grianmhar nuair a bhí an fharraige ciúin chuir Éile iallach ar a hathair í a thabhairt sall go dtí Carraig an Rí féachaint an raibh Rónán ann. Aon uair a chonaic Rónán ag teacht iad léim sé isteach san fharraige agus shnámh sé chucu. Ansin sheolaidís chuig an gcarraig agus shuídís tamall ag súgradh ann. I rith an tsamhraidh bhíodh Éile agus Rónán ag snámh le chéile san fharraige timpeall. Diaidh ar ndiaidh thit Éile i ngrá leis an rón óg. Rinne sí peata ceart de. Ní raibh cara ar bith ar domhan aici seachas Rónán, an rón óg.

D'fhás Éile suas ina cailín caol ard álainn. D'fhás Rónán suas ina

rón mór ramhar. Níorbh fhada go raibh sé soiléir gurbh é Rónán rí na rónta. Bhíodh sé ina shuí ar an gcarraig agus gach uile rón eile thíos ag a bun ag tabhairt ómóis dó.

'Cuirfidh mé ainm nua ort,' arsa Éile lá. 'Anois is tusa Rónán Rí na Rónta. Rónán Rí na Rónta, is ceolmhar an t-ainm é sin,' ar sise leis.

Nuair a bhí Éile Rua ceithre bliana déag d'aois bhí uirthi dul go dtí an mhórthír ar scoil. Ní fhillfeadh sí abhaile feasta ach corruair ar laethanta saoire.

'A Dhaid, tabhair amach mé go dtí an charraig. Beidh mé imithe go luath ar maidin agus ba mhaith liom slán a fhágáil ag Rónán.'

'Fiafraigh de do Mham, a stór,' arsa Daid.

Bhí Bríd istigh sa chistin ag filleadh éadaí Éile agus á gcur sa mhála taistil. Nuair a rith Éile isteach chuici chonaic sí go raibh a Mam ag sileadh na ndeor.

'A Mham,' arsa Éile, 'cad atá ort?'

'Ó, a Éile, a Éile Rua, is gráin liom tú a bheith ag imeacht uaim. Beidh an teach folamh gan tú. Imigh leat chuig Rónán, ach brostaigh ar ais chugam. Ba mhaith liom an oíche dheireanach a chaitheamh cois tine anseo i do theannta. Níl mórán ama againn,' ar sí go buartha.

Thug Éile cóta mór Dhaid dó agus chuir sí uirthi a ceann féin. D'imigh siad leo. Bhí Éile ar a sáimhín só. Níor thug sí aon aird ar an aimsir ná ar an bhfarraige shuaite fúithi. Bhí Rónán ar an gcarraig ag féachaint uirthi ag teacht. Nuair a bhí siad taobh leis an gcarraig tháinig athrú ait ar an aimsir. D'éirigh an lá an-chiúin ar fad. Stad na tonnta móra ag scuabadh na trá, stad na héin ag canadh, agus stad na rónta ag tafann. Ghlaoigh Éile ar Rónán. 'A Rónáin, tar chugam. Tháinig mé chun slán a fhágáil agat. Tar anseo.'

D'fhan sé tamall ag breathnú uirthi gan cor as. Faoi dheireadh, shleamhnaigh sé anuas den charraig agus isteach san uisce. Cheap Éile go raibh sé ag teacht chuici agus go mbuailfeadh sé léi taobh leis an mbád mar ba ghnáth leis. Ach léim sé suas san aer agus síos leis faoin uisce mar a dhéanfadh deilf ag súgradh. Shnámh sé faoin mbád. I bpreab na súl, thug sé poc don bhád lena chaincín agus thosaigh an bád ag luascadh ó thaobh go taobh. Thit Éile glan isteach san uisce. D'imigh sí as radharc láithreach. Thosaigh Neid ag béicíl in ard a ghutha. Ní fhaca sé Éile áit ar bith. Ní fhaca sé an rón áit ar bith ach oiread. Níor fhill Éile go barr uisce. Léim Neid isteach san fharraige ach theip air í a aimsiú. D'fhéach sé anseo agus ansiúd ach ní raibh rian di le

fáil. Lean sé á lorg gan stad gan staonadh go dtí titim na hoíche. Ba chosúil gur bádh í san fharraige mhór.

'Dia idir sinn agus gach olc!' ar sé. 'Cad a déarfaidh mé le Bríd?'

Bhí a cheann buailte faoi agus é ag sileadh na ndeor ag dul isteach an doras dó an oíche úd. D'inis sé an scéal go léir do Bhríd.

'Níl a fhios agam ó thalamh an domhain cad a tharla. Ba é an tubaiste ab aistí dá bhfaca mé riamh é,' ar sé.

'A Dhia, bí linn!' arsa Bríd. 'A Éile! A Éile Rua, báite, sciobtha uainn. Nach bhfuil seanscéal ann a deir gur mí-ádh é cailín rua a bheith cois farraige nó i mbád?'

'Tá, tá, ach bhí Éile i gcónaí ar a suaimhneas san fharraige. Ní thuigim conas a bádh í? Bhí snámh ar a toil aici.'

'Ba é an rón mór millteach sin a rinne an diabhal. Níor thaitin Rónán riamh liomsa. Bhí drochstiúir faoi i gcónaí,' arsa Bríd agus í ag caoineadh.

Gach uile lá, as sin amach, chuardaigh Neid agus Bríd suas síos an trá ag tnúth leis an lá a dtiocfadh Éile ar ais chucu. Ach ní raibh tásc ná tuairisc uirthi.

Nuair a thit Éile isteach san uisce threoraigh Rónán go tóin na farraige í. Thiontaigh sí isteach ina rón álainn. Bhí na súile móra gorma aici i gcónaí. Ach bhí a cóta leathair rua mar a mbíodh a cuid gruaige. Gheall Rónán di go mbeadh sí ina banríon ar na rónta agus ar an oileán.

'Déanfaidh mé banríon díot agus snámhfaidh tú taobh liom i gcónaí má phósann tú mé,' ar sé le hÉile.

Ós rud é go raibh dlúthchairdeas eatarthu ón gcliabhán d'aontaigh Éile leis an bplean. Bhí sí sona sásta a bheith le Rónán i gcónaí. Ní bheadh uirthi dul ar scoil ar an mórthír. Ní bheadh uirthi scaradh lena Mam ná lena Daid. Agus bheadh cara agus grá a croí aici go deo.

Phós Éile Rónán Rí na Rónta. Bhí bainis acu ar urlár na farraige. Lean an bhainis agus an chóisir ar feadh seachtaine. Ag deireadh na seachtaine tháinig uaigneas ar Éile. Bhí fonn uirthi cuairt a thabhairt ar an mbaile.

'A Rónáin, braithim uaim mo Mham agus mo Dhaid. Conas a rachaidh mé ar ais ar cuairt chucu?' ar sí.

'Ní haon stró é sin, a ghrá geal. Ná bíodh aon imní ort.'

'Ó, is maith sin! Bhí eagla orm go mbeadh sé deacair dom,' ar sí.

'Seo mar a bheidh. Suas leat go dromchla na farraige. Seol sall go dtí an trá. Scuab suas do chorp ar an ngaineamh chomh maith agus is féidir leat. Nuair atá tú glan as an uisce déan guí go gcuirfear cruth cailín arís ort. Sleamhnóidh do chraiceann díot.

Beidh tú i do chailín láithreach. Sin é é!'

'Uch, is gránna an gníomh é sin!'

'Éile, a stór, tar éis cúpla lá beidh taithí agat ar an athrú,' arsa Rónán.

'Ach beidh mé nocht! Ní bheidh aon éadaí orm!' arsa Éile agus ionadh uirthi.

'Éist go cúramach anois, a Éile. Seo comhairle an-tábhachtach duit. Thar aon ní eile tabhair aire do do chraiceann. Is é do chraiceann do shaol. Nuair a shleamhnaíonn tú as bailigh suas ón ngaineamh é agus caith siar ar do ghuaillí é mar a bheadh clóca leathair agat. Ar aghaidh leat ansin chuig do thuismitheoirí. Beir leat an clóca i gcónaí, nó cuir i dtaisce in áit shábháilte é. Má thógann aon duine do chlóca leathair ní bheidh tú in ann tiontú ar ais i do rón chun teacht chugamsa arís. Agus beidh tú faoi smacht an ghadaí, pé gadaí é, fad atá do chraiceann ina sheilbh. Ach ní baol duit ar an oileán. Beidh tú slán le do thuismitheoirí i gcónaí. 'Bhfuil sé sin go léir agat anois?'

'Tá. Beidh mé an-chúramach. Seo liom anois. Slán go fóill, a stór.'

Nuair a bhain Éile an trá amach shleamhnaigh sí as an uisce agus suas ar an ngaineamh bog. Go tobann rinneadh bean óg di. Chrom sí síos agus rug sí greim daingean ar a craiceann. Chaith sí siar ar a guaillí mar chlóca leathair é. Rith sí abhaile ar nós na gaoithe. Bhí Neid agus Bríd ag ithe bricfeasta go ciúin croíbhriste. Is beag nár thit siad i laige nuair a sheol Éile isteach an doras chucu. Léim siad ina seasamh agus rith siad chuici.

'Éile, Éile, Éile, tá tú slán sábháilte! Cá raibh tú ó thalamh an domhain le seacht lá anuas? Chuardaíomar thall is abhus. Bhíomar cinnte go raibh tú báite. Cá raibh tú?' arsa Neid.

'Bhí mé croíbhriste gan tú, a Éile,' arsa Bríd léi ag breith isteach uirthi. 'Cár imigh tú, a stór? Cá raibh tú? Suigh síos agus inis dúinn cad a tharla.'

Shuigh Éile chun boird leo agus d'inis sí a scéal dóibh.

'Ní thuigim focal den scéal seo,' arsa Bríd go cráite.

'Conas is féidir leat a bheith i do rón agus i do chailín ag an am céanna? Níl ciall dá laghad leis sin,' arsa Neid gan tuiscint ar bith aige ar an scéal.

'Nuair atá mé ar an oileán is cailín mé. San fharraige is rón mé, ach is mise Éile Rua i gcónaí. Ní athraíonn ach an corp seo agamsa. Is cuma cá bhfuil mé, ar muir nó ar tír, is mise Éile Rua. Nach dtuigeann sibh é sin?'

'Ach is ainmhí tú! Ó mhaidin go hoíche is ainmhí fiáin tú,' arsa Bríd, agus í ag caoineadh os ard. 'Is ainmhí í m'iníon? Cad a déarfaidh na comharsana?'

'Is cuma fúthu, a Bhríd,' arsa Neid go teasaí. D'fhéach sé ar Éile agus dúirt sé: 'Tá ceist eile agam ort, a stór? Cén fáth ar tháinig tú ar ais chugainn?'

'A Dhaid, tá mé pósta le Rónán Rí na Rónta. Is rón é m'fhear céile. Ach is mé iníon Neid agus Bhríd freisin. Níl mé imithe uaibh. Níl mé marbh. Ba mhaith liom mo shaol a chaitheamh idir an dá chineál.'

'Yerra, bíodh ciall agat, a chailín,' arsa Bríd go mífhoighneach léi. 'Tar abhaile is fan sa bhaile.'

'Ach, a Mham, ní bheidh mé scartha uait. Beidh mé anseo idir muir is tír i gcónaí.'

'Is ait an scéal é gan dabht,' arsa Bríd go searbh. 'Níor chuala mé a leithéid riamh!'

'A Mham! A Dhaid! Éistigí liom le bhur dtoil! Is mé Banríon na Rónta. Is breá liom a bheith i mo rón. Taitníonn saol an róin go mór liom. Tá mo mhuintir agam, tá cairde agam, agus tá Rónán agam. Beimid le chéile go deo. Ba é mian mo chroí é a bheith pósta le mo chara dílis. Is é Rónán mo chara dílis ón gcliabhán.'

'Ach, conas a tharla sé seo?' arsa Daid, ag iarraidh ciall a bhaint as an scéal.

'Bhí sé i ndán dom i gcónaí. Bhí sé ceaptha ag Rónán mé a phósadh ón gcéad lá fadó nuair a bhí mé deich mbliana d'aois.'

Bhí Bríd ag gol go fras. Shiúil Éile chuici, 'Ó, a Mham! Níl mé imithe uait! Mar a dúirt mé cheana beidh mé anseo idir muir is tír i gcónaí. Is cosúil le hiníon phósta mé! Beidh mé idir sibhse agus Rónán i rith mo shaoil go léir. Is féidir liom athrú más mian liom é.'

'Cad faoi pháistí? An mbeidh aon gharchlann againne?' arsa Bríd go truamhéalach.

'Beidh cinnte, a Mham, ach beidh siad ina rónta cosúil liomsa. Tugtar seilchithe orthu.'

Sheas Neid suas, shín sé amach a lámha, agus rug sé barróg mhór ar Éile.

'Is tusa mo ghrá geal i gcónaí, a chailín. Bí cinnte de sin,' ar sé agus deora ina shúile. 'An bhfillfidh tú orm gach lá?'

'Fillfidh, a Dhaid, fillfidh,' ar sí agus í ag sileadh na ndeor freisin.

Ní raibh aon dul as. D'fhan Éile ina banríon ar na rónta agus ar an oileán mar a bhí i ndán di. Chaith Neid gach uile lá amuigh sa bhád nó ar an trá lena iníon. Bhí uaigneas an domhain ar Bhríd.

Shocraigh Bríd dul go dtí an mhórthír ag siopadóireacht, agus chun seal a chaitheamh lena deirfiúr. Sheol Neid sall í. I gceann trí lá tháinig sí abhaile agus ógánach sa bhád léi. Dónaí ab ainm dó.

'Cad ina thaobh go bhfuil an buachaill seo leat?' arsa Neid

'Ós rud é nach bhfuil Éile linn a thuilleadh tabharfaidh Dónaí cabhair dom ar an bhfeirm,' ar sí leis.

Chuir Dónaí faoi sa teach leo. Ba shárfhear oibre é. Bhí Bríd agus Dónaí an-chairdiúil lena chéile. Ba chuma le Neid, chaith sé an t-am go léir amuigh ar an bhfarraige nó ar an trá le hÉile.

Gach lá thagadh Éile abhaile ar cuairt. Bhuaileadh sí le Neid ar an trá. De ghnáth théidís ag siúl síos suas an trá agus ansin isteach leo chuig Bríd. Níorbh fhada gur thit Dónaí i ngrá leis an gcailín caol ard rua a tháinig ar cuairt gach lá.

Tar éis míosa nó mar sin dúirt Neid le hÉile lá, 'nach deas an scéal anois é, níl Bríd buartha a thuilleadh. Déanann Dónaí an-mhaitheas di.'

D'aontaigh Éile leis, 'Déanann gan dabht! Is deas teacht abhaile agus gan stró ar bith sa teach. Cuireann sé gliondar ar mo chroí. Is teaghlach sona sásta sinn arís.'

Tráthnóna amháin nuair a bhí sé in am cur chun farraige theip ar Éile a clóca a aimsiú.

'A Dhaid,' ar sí. 'D'fhág mé faoin gcarraig é mar ba ghnáth liom. Ach níl sé ann.'

'An bhfuil tú cinnte, a stór? Uaireanta cuireann tú ar crochadh taobh thiar den doras é. Ar chuardaigh tú ansin?'

'A Dhaid, chuardaigh mé i ngach uile áit. Níl tásc ná tuairisc air. Céard a dhéanfaidh mé? Ní féidir liom dul ar ais.'

Chuardaigh Neid agus Éile go dtí go raibh an ghrian ag dul faoi ach faic ní bhfuair siad. Bhí Éile trína chéile. Dúirt Bríd agus Dónaí léi nach raibh a fhios acu cá raibh an clóca.

'B'fhéidir gur sheol sé amach ar an taoide. Más ea fillfidh Rónán ar ais leis i gceann cúpla lá,' arsa Bríd. 'Fan sa bhaile linn go dtí sin.'

Nuair a bhí an teaghlach go léir ina gcodladh d'éirigh Éile agus chuardaigh sí i ngach áit.

‘Is mór an crá í an mhuc sin,’ arsa Daid ag an dinnéar lá. ‘Leagann sí an bairille uisce gach uile lá. Táim traochta á líonadh. Dónaí, bíodh tusa i bhfeighil na muice as seo amach.’

‘Ní haon stró é sin,’ ar sé.

Tháinig Rónán ag lorg Éile. Cheap Éile go raibh a craiceann róin aige ach ní raibh. Bhí díomá uirthi. D’inis sí an scéal go léir dó.

‘Measaim gurb é Dónaí a rinne an gníomh,’ arsa Rónán. ‘An dtógfaidh mé faoin uisce é?’

‘A thiarna, ná déan! Beidh mo chlóca caillte go deo mar sin! Tá níos mó eolais aige ná mar a ligeann sé air. Tá mo chlóca aige. Táim cinnte dearfa de,' arsa Éile go cráite.

'An gceapann tú go bhfuil do Mham ag cabhrú leis?'

'Och, ní dhéanfadh sí a leithéid de rud gránna.'

'Bíodh foighne agat, a stór, tá plean agam.'

An tráthnóna sin tháinig na rónta go léir chun na trá agus chaith siad an oíche go léir ag tafann agus ag búiríl. Nuair a chuala an líon tí an rúille búille bhí ionadh orthu agus ní raibh aon suaimhneas ag aon duine an oíche sin. Lean na rónta den raic ar feadh seachtaine. Níor éalaigh aon duine ón gclampar!

'Tá brón orm, a Éile. Theip orm,' arsa Rónán, 'agus tá na

rónta go léir spíonta amach tar éis na seachtaine. Caithfimid plean nua a dhéanamh.'

Bhí Éile i gcruachás. Chaith sí an t-am go léir ag gol go fras nó ar lorg a craiceann róin.

Shuigh Éile agus Neid taobh amuigh den teach agus iad ag comhrá lena chéile. Shiúil an mhuc go dtí an bairille mór uisce agus thosaigh á bhualadh. Tar éis tamaill leag sí an bairille agus dhoirt an t-uisce go léir amach. Thosaigh an mhuc ag slogadh go fras.

'Meas tú cén fáth nach n-ólann an mhuc sin as a trach féin?' arsa Neid go crosta.

Shiúil sé go dtí an trach uisce agus d'fhéach sé isteach ann. 'Tá go leor uisce ann, agus tá sé glan!' Bhlais sé an t-uisce. Chaith sé amach ar an bpointe é. B'uisce sáile é!

'Pleidhce amadáin is ea an buachaill sin. Chuir sé uisce na farraige sa trach. Nach bhfuil a fhios ag cách nach n-ólann muca uisce sáile!'

Shín sé a lámh isteach san uisce agus bhraith sé rud bog mín in íochtar. Bhí a fhios aige láithreach céard a bhí ann. 'Sin an fáth go bhfuil blas an tsalainn ar an uisce.'

'Éile, tar chugam láithreach,' ar sé i gcogar. 'Breathnaigh air seo.'

'Cad é, a Dhaid?'

'Fuist, a chailín agus tar anseo. Sín isteach do lámh agus inis dom cad a bhraitheann tú?' ar sé le hiontas.

'A Dhaid!' ar sí. 'Ní chreidim é!'

Bhí sceitimíní uirthi le háthas. Bhí sí ar tí an clóca a tharraingt amach as an uisce nuair a chuir Neid a lámh uirthi agus dúirt sé, 'fan nóiméad, ná téigh ar ais fós. Iarr ar Rónán teacht anocht le slua mór rónta.'

An oíche sin tháinig na rónta go léir chun na trá. Thosaigh siad ag tafann agus ag búiríl. Shiúil Éile amach chucu. Ag dul thar an trach uisce di rug sí ar a clóca agus d'imigh sí léi. Tar éis tamaill thit ciúnas ar an oileán.

D'fhéach Dónaí ar Bhríd agus ansin ar Neid.

'Cá bhfuil Éile? Níor tháinig sí ar ais?'

'Beidh sí ag filleadh go luath,' arsa Neid.

'Níl a fhios agam. Tá amhras orm nach dtiocfaidh sí,' arsa Dónaí, 'Tá sí imithe le fada.'

'Cén fáth go bhfuil tú buartha?' arsa Neid. 'Tá eolas na slí timpeall na háite seo aici. Ní baol di ar an oileán.'

'Ach cad faoi na rónta?' arsa Dónaí.

'Is beag an baol di na rónta ach an oiread,' ar sé. 'Ach is é mo thuairim gur baol di tusa.'

Léim Dónaí ina sheasamh agus tháinig fearg air. Thosaigh sé ag bagairt ar Neid.

'Suigh síos, a gharsúin,' arsa Neid. 'Tá a fhios agam gur ghoid tú craiceann Éile agus go raibh tú ag cur iallach uirthi tú a phósadh. Ach theip ar do phlean. Glan tusa amach as an áit seo amárach agus ná tar ar ais choíche. Má chuireann tusa nó aon duine a bhaineann leat cos ar an bhfarraige mhór as seo amach tógfaidh Rónán síos faoin uisce sibh. Geallaim é sin duit.'

Shuigh Bríd sa chúinne gan cor aisti. D'fhéach Neid uirthi, 'Ar thug tusa cabhair dó?' ar sé le faobhar ina ghuth.

'Cheap mé go raibh siad i ngrá lena chéile. Ní raibh a fhios agam gurbh eisean an gadaí,'ar sí go brónach. 'Is olc an scéal é.'

'Bhuel,'arsa Neid, 'b'olc an scéal é, ach is dea-scéal anois é, nach ea?'

'Is ea cinnte,' arsa Bríd ag breith isteach ar Neid.

Má théann tú go dtí an t-oileán taobh le Gleann Garbh feicfidh tú na mílte rónta ag tógáil na gréine ar na carraigeacha móra timpeall. Tá spotaí rua orthu agus súile móra gorma acu. Is iadsan sliocht Éile. Is seilchithe iad. Fan i bhfad uathu nó tógfaidh siad síos tú ina dteannta.